KB099511

시를 닮은 아이들 2

시를 닮은 아이들 2

발　행 | 2023년 12월 25일
저　자 | 백작반 20기(강찬혁 외 25명), 백란현 엮음
펴낸이 | 한건희
펴낸곳 | 주식회사 부크크
출판사등록 | 2014.07.15.(제2014-16호)
주　소 | 서울특별시 금천구 가산디지털1로 119 SK트윈타워 A동 305호
전　화 | 1670-8316
이메일 | true1211@naver.com

ISBN | 979-11-410-6049-7

www.bookk.co.kr

시를 닮은 아이들 2

백작반 20기 백란현 엮음

강찬혁
고여진 국서연 김다힌 김도윤 김서진
김시윤 김윤슬 김은재 김지우 김하기
류혜진 문슬우 박건우 신민서 심다연
양지우 이서윤 이창민 이현우 임나연
정우주 최시준 한승우 한정훈 황유진

CONTENT

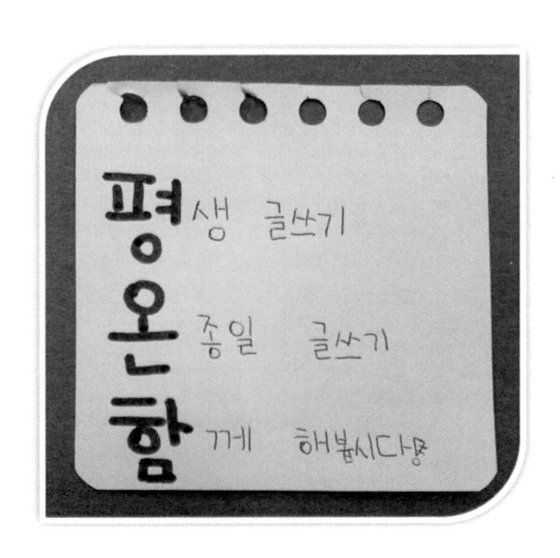

〈 들어가는 글 〉

반갑습니다. 자이언트 인증 라이팅 코치 백란현 작가입니다. 20년째 학교 현장에서 생활하고 있습니다. 2021년부터 2023년까지 김해부곡초등학교 학생들과 문집을 만들었습니다. 교사 작가로 살면서 제가 맡은 학생들에게도 작가의 경험을 주고 싶었습니다.

다수의 학생들과 교실에서 생활합니다. 일대일로 대화 나누는 일이 많지 않습니다. 시와 생활 글을 쓰면서 학생들의 삶을 간접적으로 살핍니다. 작품 한 편씩 읽으면서 꼬마 작가들의 솔직한 마음에 놀랐습니다.

학생들의 글이 예술성이나 창의성이 다소 부족하더라도 이들은 글을 쓰는 작가입니다. 앞으로 쓸 글에 대한 기대가 큽니다. 담임으로서 학생들에게만 글 쓰라고 시키기엔 민망했습니다. 이들 덕분에 저도 일상을 블로그에 남기며 하루를 돌아봅니다.

자기 자신의 하루를 글로 요약할 수 있다면 인생 좋아집니다. 오늘 삶을 어떻게 생각하고 의미를 부여하는가에 따라 어제의 나도, 내일의 삶도 풍성해집니다. 생각할 겨를 없이 시간의 흐름대로 하루를 마무리하는 일이 얼마나 많습니까? 이제는 '오늘'을 기록해야 할 때입니다.

우리 아이들의 하루를 기록한 《시를 닮은 아이들》에 이어 《시를 닮은 아이들 2》를 출간합니다. 백작 학급 학생들의 시집 수익금은 어린이재단에 기부합니다. 감사합니다.

초등 독서교육 전문가, 라이팅 코치 백란현

제1화 평생 글쓰기

《검도》

강찬혁

나는 검도를 다니다.

나는 검도에서 호구를 쓴다.

검도를 하면 호구를 즐겁게 쓸수있다.

호구 썼을때 기분이 좋을때는 상대랑 시합을 할때
제데로 칠때이다.
이기분때문에 검도를 끊을수 없다

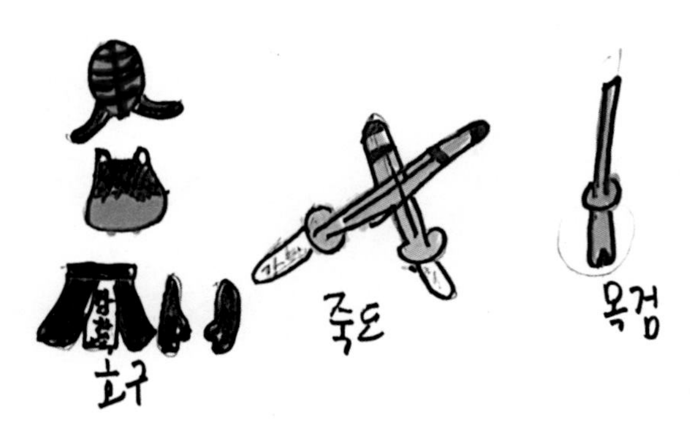

<미술시간>

강찬혁

반티 꾸미기를 시작한다.

점점 일이 커지고 있다.
그림이 점점 이상해지고있다.
그치만 친구가 그림을 살려주었다.
그 친구가 고마웠다.

힘든 미술시간 이였다.

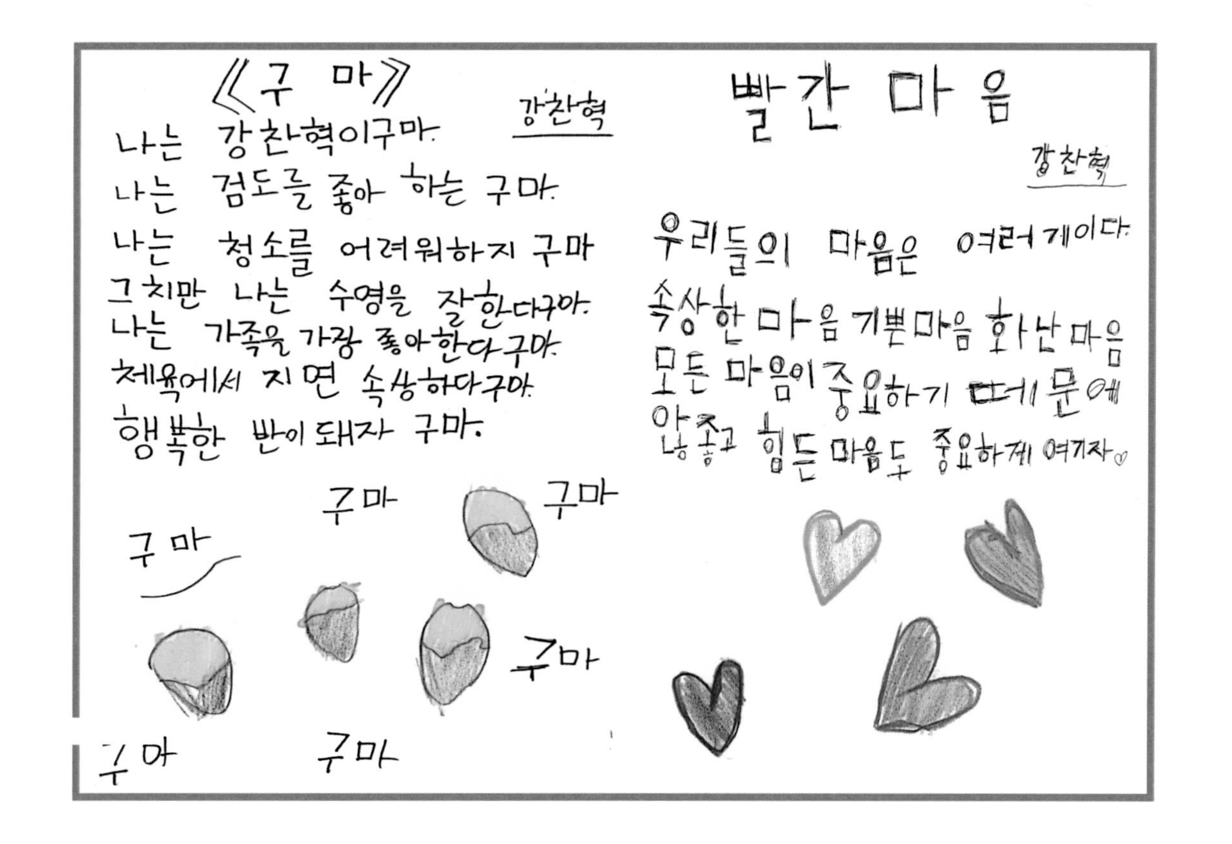
《구 마》
강찬혁
나는 강찬혁이구마.
나는 검도를 좋아 하는 구마.
나는 청소를 어려워하지 구마
그치만 나는 수영을 잘한다구마.
나는 가족을 가장 좋아한다구마.
체육에서 지면 속상하다구마.
행복한 반이 돼자 구마.
구마
구마
구마
구마
구마
구마
빨간 마음
강찬혁
우리들의 마음은 여러게이다.
속상한 마음 기쁜마음 화난 마음
모든 마음이 중요하기 때문에
안 좋고 힘든 마음두 중요하게 여기자♡

일기

고여진

일기는 생활 글쓰기
재미 있는 일기
과거를 볼수 있는 일기
신기한 일기

학원에서의 시간

고여진

수학할때 시간보면
1분 씩 밖에 안간다
너무 지루한 학원에서의
수학시간!

빨간 심장

고예진

일로와!

하~하기싫은데

뭐해?.

다른 친구들이랑 놀고 싶은데!.

이거하자

하고만하자.

그래서 폭팔할거같다.

빨간마음!.

여진이는 여진이

고여진

실수를해도 여진이

잠을 자도ZZZ 여진이

뛰어 놀때도 여진이

웃을때도 여진이

여진이는 여진이

긴장

국서연

발표하기 하루전날
나는 긴장
발표하는 날 아침에도
나는 긴장
등교 하면서
나는 긴장
1교시
나는 긴장
무대 올라가면서
나는 긴장

나는 하루종일 긴장 상태
!!!

서연이는 서연이

국서연

기뻐도 서연이
슬퍼도 서연이
무얼하든 서연이
오늘도...
서연이는
서연이

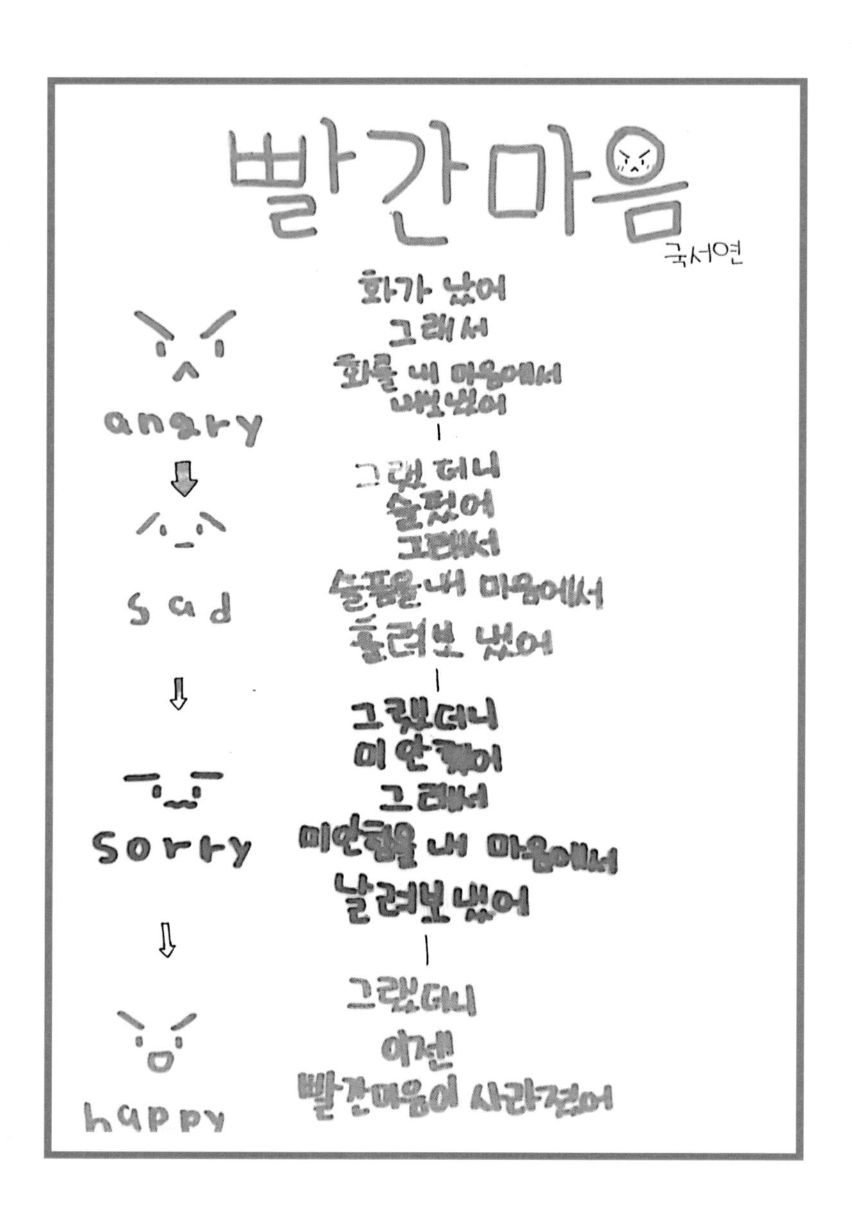
빨간마음
국서연
화가 났어
그래서
화를 내 마음에서
내보냈어
그랬더니
슬펐어
그래서
슬픔을 내 마음에서
흘려보냈어
그랬더니
미안했어
그래서
미안함을 내 마음에서
날려보냈어
그랬더니
이젠
빨간마음이 사라졌어
angry
sad
sorry
happy

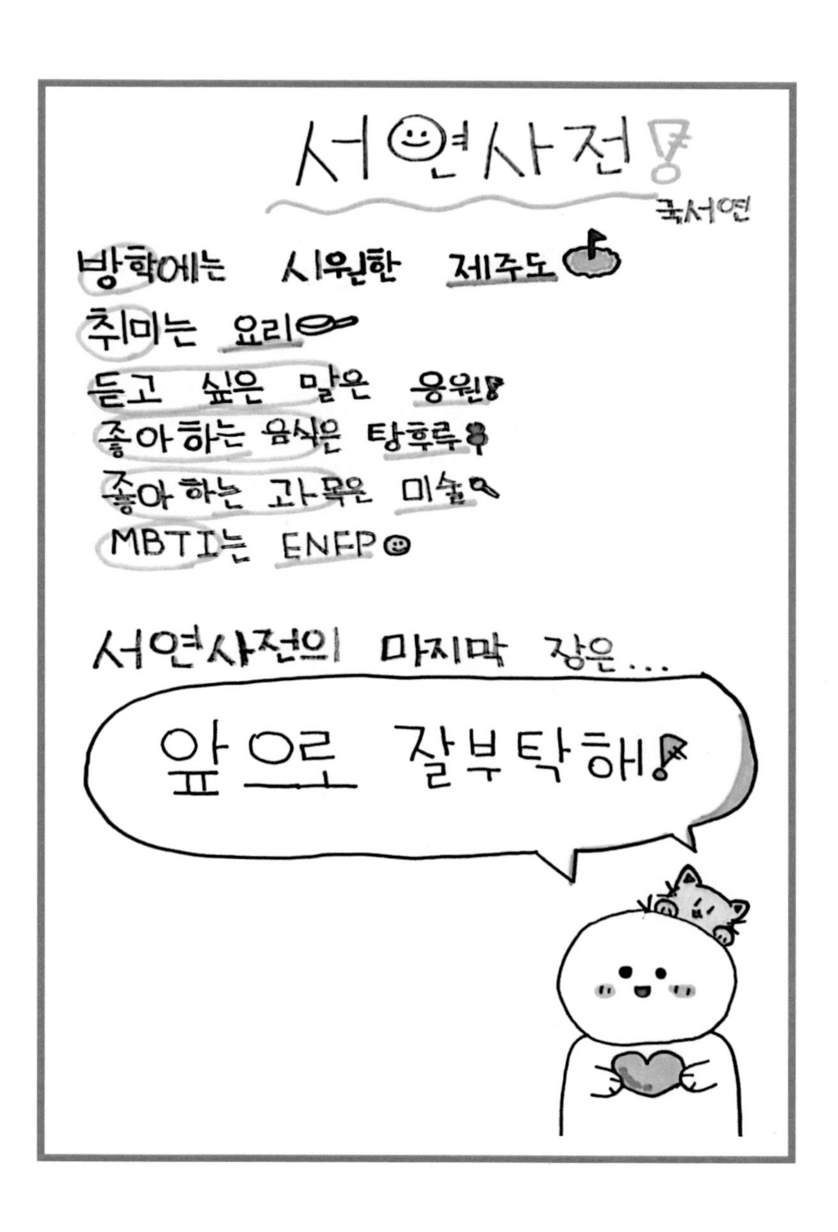
서연사전
국서연
방학에는 시원한 제주도
취미는 요리
듣고 싶은 말은 응원
좋아하는 음식은 탕후루
좋아하는 과목은 미술
MBTI는 ENFP
서연사전의 마지막 장은...
앞으로 잘부탁해!

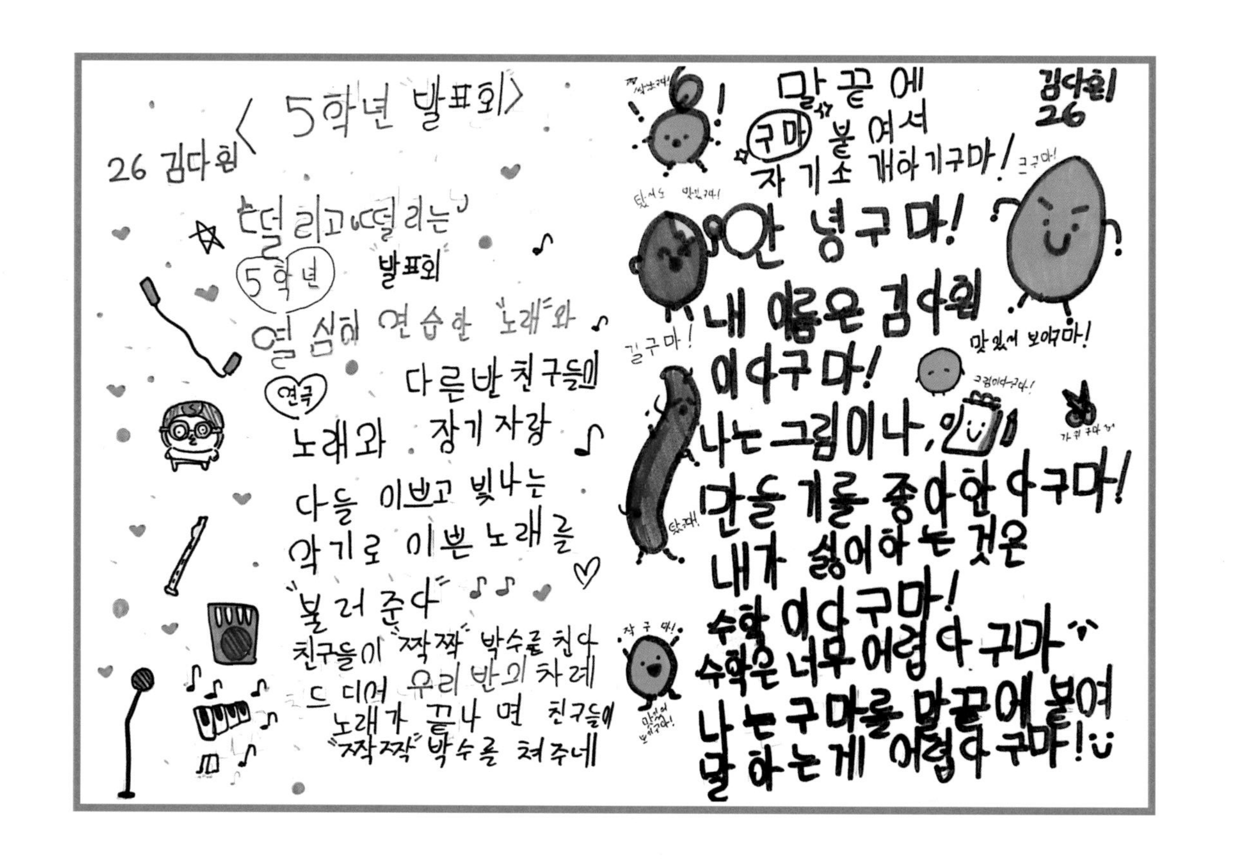

〈5학년 발표회〉
26 김다희
떨리고 떨리는
5학년 발표회
열심히 연습한 노래와
연극
다른반 친구들의
노래와 장기자랑
다들 이쁘고 빛나는
악기로 이쁜 노래를
불러준다
친구들이 짝짝 박수를 친다
드디어 우리 반의 차례
노래가 끝나면 친구들이
짝짝짝 박수를 쳐주네
김다희 26
말끝에
구마 붙여서
자기소개하기구마!
안녕구마!
내 이름은 김다희
이다구마!
나는 그림이나,
만들기를 좋아한다구마!
내가 싫어하는 것은
수학이다구마!
수학은 너무 어렵다구마
나는 구마를 말끝에 붙여
말하는게 어렵다구마!

소개(시)
김다흰
26
방학에는 친한 언니와
바다에 놀러가
재미 있게 놀고
침실에서 배게 싸움도 하고
재미있게 놀았습니다.
바다 임
취미는 그림이나 웹툰, 애니메이션 그리기 입니다.
듣고 싶은 말언어는
그림에 관련이 있는 말 이나 칭찬 입니다.
제가좋아하는 과목은 미술입니다.
제가좋아하는 음식은 산낙지 입니다.
잘부탁해!

장애물 달리기

김다원
2-6

'힘들고 힘든' 장애물 달리기

장애물을 피해 달려간다.
너무 빠르게 달리면
다치니 조심조심
달리다 보면 어느덧 끝에 다왔다!
장애물 달리기가 끝나면
이어달리기가 시작!

4번 설레임

오늘은 리그가 끝나는 날이다 글: 김도윤
근데 비가 와서 못했다.
얘들이 화를 냈다.

그림: 김도윤

미술을 하고 밥을
먹으러 갔다.
밥을 먹고 교실에
올라 갔다.

청소를 하고 또
분리 수거도 했다.
청소를 끝내고

놀았다.
선생님이 들어 와다.
아이스크림을 들고 왔다.
얘들이 환호성을
질렀다.
아이스크림을 먹을 때 시원했다

R LOTTE
설레임
밀크쉐이크
눈처럼 다가와
2023/03/27

사무실

글: 김도윤

오늘은 비가 많이 와서
축구부사무실 에서 수업을
한다고했다.

내가 간식을 사서
감독님께 드려서
영상을 보면
간식을 먹었다.
내일은 정상
수업이다.

제목: 눈이 왔다.

오늘은 눈이 왔다 작가 김도윤
동생과 같이 눈 싸움 그림 김도윤
을 하러 갔다.

동생은 계속 맞아서
울었다. 그래서 동생에
게 얼굴쪽으로 눈을
던졌다.

너무 추워서
집에 들어 가서
몸을 따뜻하게
했다.

김도윤은 김도윤

작가 김도윤

물을 먹어도 김도윤
실수를 해도 김도윤
축구를 잘해도 김도윤
시를 써도 김도윤
마이비리를 써도 김도윤
밥을 먹어도 김도윤
싸워도 김도윤
단소를 불어도 김도윤
리코더를 불어도 김도윤
잠을 자도 김도윤
게임을 해도 김도윤
학교 가도 김도윤
김도윤은 김도윤

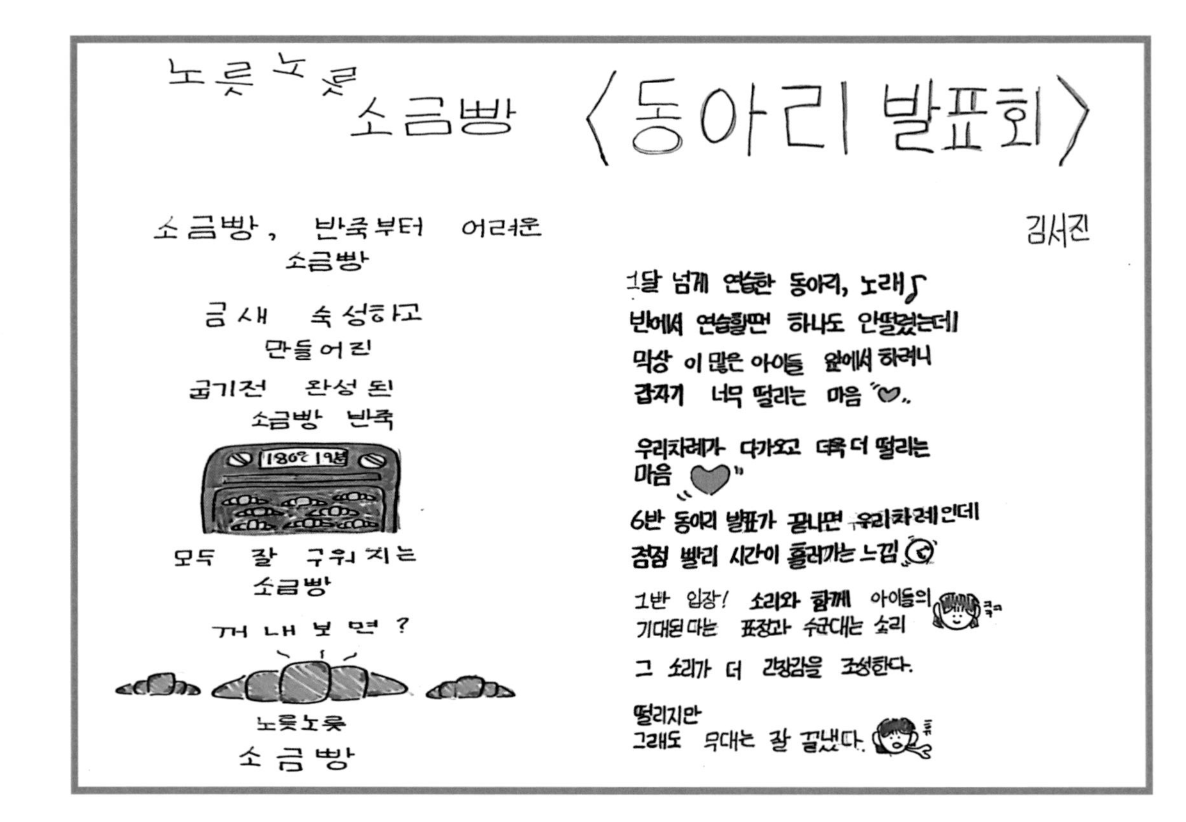

노릇노릇 소금빵
소금빵, 반죽부터 어려운
소금빵
금새 숙성하고
만들어진
굽기전 완성 된
소금빵 반죽
180℃ 19분
모두 잘 구워지는
소금빵
꺼내보면?
노릇노릇
소금빵
〈동아리 발표회〉
김서진
1달 넘게 연습한 동아리, 노래
반에서 연습할땐 하나도 안떨렸는데
막상 이 많은 아이들 앞에서 하려니
갑자기 너무 떨리는 마음 "♡"
우리차례가 다가오고 더욱 더 떨리는
마음 "♡"
6반 동아리 발표가 끝나면 우리차례인데
점점 빨리 시간이 흘러가는 느낌
1반 입장! 소리와 함께 아이들의
기대된다는 표정과 수군대는 소리
그 소리가 더 긴장감을 조성한다.
떨리지만
그래도 무대는 잘 끝냈다.

<구 마>

김서진

안녕하구마!
나는 김서진이구마. 5-1반이기도
하구마

그리고 내가 좋아하는건
체육이구마. 매번 달라지는 운동을
새롭게 배우는게 좋아서 그렇구마

또, 내가 싫어하는건 벌레이구마
쉬고 있는데 벌레가 내 몸에 탁!
상상만 해도 끔찍하구마ㄷㄷ

내 소개를 다 한것 같으니
내 소개를 마치겠구마~

진짜 내 마음

김서진

친구는 날 항상 짜증나게
하고 난 그걸 쌓아두고
그러다 새빨갛게 익어 결국
터져버린 내 마음
친구는 슬픔이란 감정을 느껴 파란
마음이 생겼다
난 그렇게 싫던 빨간마음이 없어
졌지만 찝찝하기만. 진짜 내 마음은
뭘까? 의문이 생기고 난 용기를 내 미안
이라는 말을 하고 오해도 풀고 친구는 늘
호의였는데 난 몰라줘고 미안하고 그래도
드디어 생긴 기쁜 노란 마음

공개수업

김시윤

한명한명씩 부모님들이 들어오신다.
내 엄마는 언제 오나 기다리다
결국 수업이 시작되었다.

스윽 뒤돌아보니
엄마가 와있다.

또 뒤돌아보니
엄마가 사라졌다.

내 발표시간이 되자,
뒤돌아 보니
엄마가 와있다.

내 발표를 마치고
자리에 앉았다.
스윽ㅡ 뒤돌아 보니
또 사라졌다.

<비>

김시윤 6번

또도독도도 주륵주륵 또독도로로
쾅쾅크르르르르르르르르

우산을 썼지만 가방이 다 젖었다.
옷, 신발, 다리까지
누군가는 물미역이 되어서 나타났다.
바람이 세서 우산이 뒤집혀 졌다.
겨우 집에 들어와 씻고 잔다

모두가 청둥소리에 잠에 깼을때,
나는 아직도 꿈나라에 있다.

또르륵..

<티볼>

6번
김시윤

여기저기서 날라오는 공
아무리 집중해도 잡히지 않는 공

계속 방망이를 휘둘러도 쳐지지 않는 공

선생님의 말씀대로 쳐 보아도
제자리에서 버티는 공

내가 이상한 걸까?

나만 피해가는 것 같다.

키릭

이어달리기

김시윤

장애물 달리기 내가 1등?
아직도 믿기지 않는 사실
이어달리기 선수로 뽑힌 나
하나, 둘, 셋!
뛰자마자 4등으로 뒤쳐진 나…ㅠ
마지막 선수가 달리는 지금,
우리반은 3등…
남은 희망은 역전뿐
하지만 현실은 비참했다……

누가 죄인인가

김윤슬

우리 반은 노래를
한다. 웃으면 안돼
자꾸만 나오려는
웃음
나는 다시 한번
노래를 한다.

우리들은 웃겼다~

아~
아~

누가 죄인인가~

누가 죄인인가 ~

친구들

김윤슬

친구들 중에는
공감을
잘해주는 친구가
있고 잘 놀아주는
친구도 있다.
친구들은 착하다.

치어리딩

김윤슬

치어리딩은
내 힘듦을
가지고 간다.
우리반 친구들도
즐긴다
내 힘듦을 가지고
가는 치어리딩

운동회
애들아 뛰어!
2등이다!
뛰어!!
나는 온 힘을 다해
뛰었다.
앞구르기
또는
훌라프 넘기 등...
김은솔
그러지!!
짝짝짝짝
△학년 △반
△△△아
달려

붓질

김은재

한번
두번
움직이면
빛으로 가득차는 도화기

작은 보석같은 물감이
도화지 위에서 빛나게
도와주는 붓질

도화지와 물감은
붓질을 잊지 않으니
아무리 해져도 상관없으리

인형뽑기

김은재

소중하게 모아둔
천원으로 하는
인생 첫번째의 도박

앞쪽, 오른쪽, 왼쪽
살피다가
슬며시 내려본다

왜 다시 빠지는지
왜 입구를 못찾는지
오기로 다시 하는 도전

지갑이 빌때야
멈추는 인형뽑기

앞구르기

김은재

훌라우프를 넘고
허들을 넘어
드디어 도달한 앞구르기

먼곳에서 달려와
다른 친구들처럼
멋지게 도는걸
상상했는데

여전히 내몸은
매트를 붙잡고
놔주질 않는다

설레임

김은재

여름에 몰래 찾아온
눈꽃

보기만해도 벌써
사르륵 녹는 것 같구나

한입 두입 먹다보면
금세 녹아 없어졌구나

고구마구마

김지우

안녕하구마.
나는 김해부곡초에 다니는 5-1반
김지우다구마.
방금도 말했듯이 나는 (12살) 5학년 이구마.
내가 좋아하는 음식은 마라탕이구마.
나의 취미는 베이킹과 친구들 놀기이구마.
나는 베이킹 할때랑 친구랑 놀때가
가장 재미있고 즐겁구마.
그 때문에 나는 베이킹과 친구들이 가장
소중하구마.
여기까지 내 소개였구마.

참가상

김지우

6월에 시작한
리그전이 끝나겠다.
선생님 반에 아이스크림을 들고오셨다.
설레임 이였다.
선생님 말로는 참가상이라고
하셨다.
기쁜 마음로 먹으며
6교시를 했다.

벌써?

김지우

벌써 11월달.
11월인데 벌써 눈이온다.
저녁이되니 벌써 눈이사라졌다.
벌써 겨울이 오는 건가 생각했더니
다시 가을
이렇게 보니 하늘은 참
아기적인것 같다.

시

김지우

오늘도 시를 쓴다.
1학기부터 질리도록 쓴것 같은데
더 쓰라는 선생님의 말씀
무슨 시를 써야할까?
매일 시를 쓰는데
도무지 뭘 써야 잘 써지는거지?
나도 언젠가은 좋은 시를 꼭
쓸것이다.

제2화 온종일 글쓰기

미니스톱

김하기

나는 학원을 마치고 미니 스톱에 갔다.
미니 스톱에 파는 2700원짜리
넓적다리 치킨을 먹었다. 중간에 굵다란
뼈가 있고 겉은 다 살코기 였다.
사장님이 종이에 싸주셨다. 전자레인지에
돌리라고 하셨지만 나는 돌리지 않았다.
살은 야들야들하고 맛있었다.

고구마 구마

김하기

안녕하구마 내 이름은 김하기구마

나는 12살 5학년1반 이구마
나는 교회를 다니는 구마
내가 좋아하는 과목은 체육이랑 골프이구마
내가 좋아하는 음식은 햄버거 치킨 마라탕 삼각김밥
탕후루 라면 냉면 소고기 연어 아이스크림 갈비탕
10원빵 바나나우유 초코우유 족발이구마
내가 싫어하는 음식은 가지 오이 도라지 이구마
내가 좋아하는 운동은 테니스 배드민턴이구마
나는 친구랑 노는걸 좋아 하구마
나는 고양이를 키우는 구마
고양이 이름은 치치이고 종은 러시안 블루 털색은 회색이구마

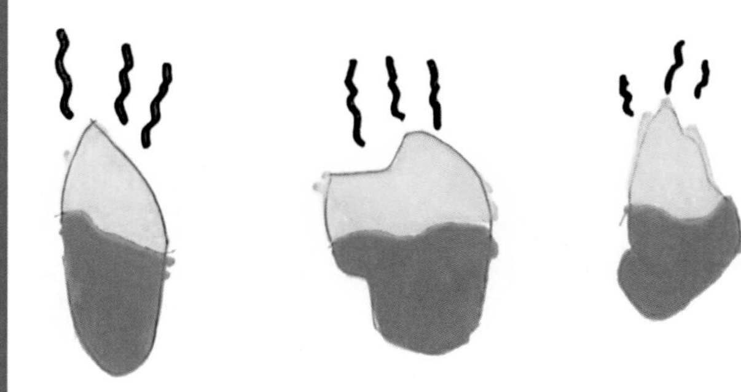

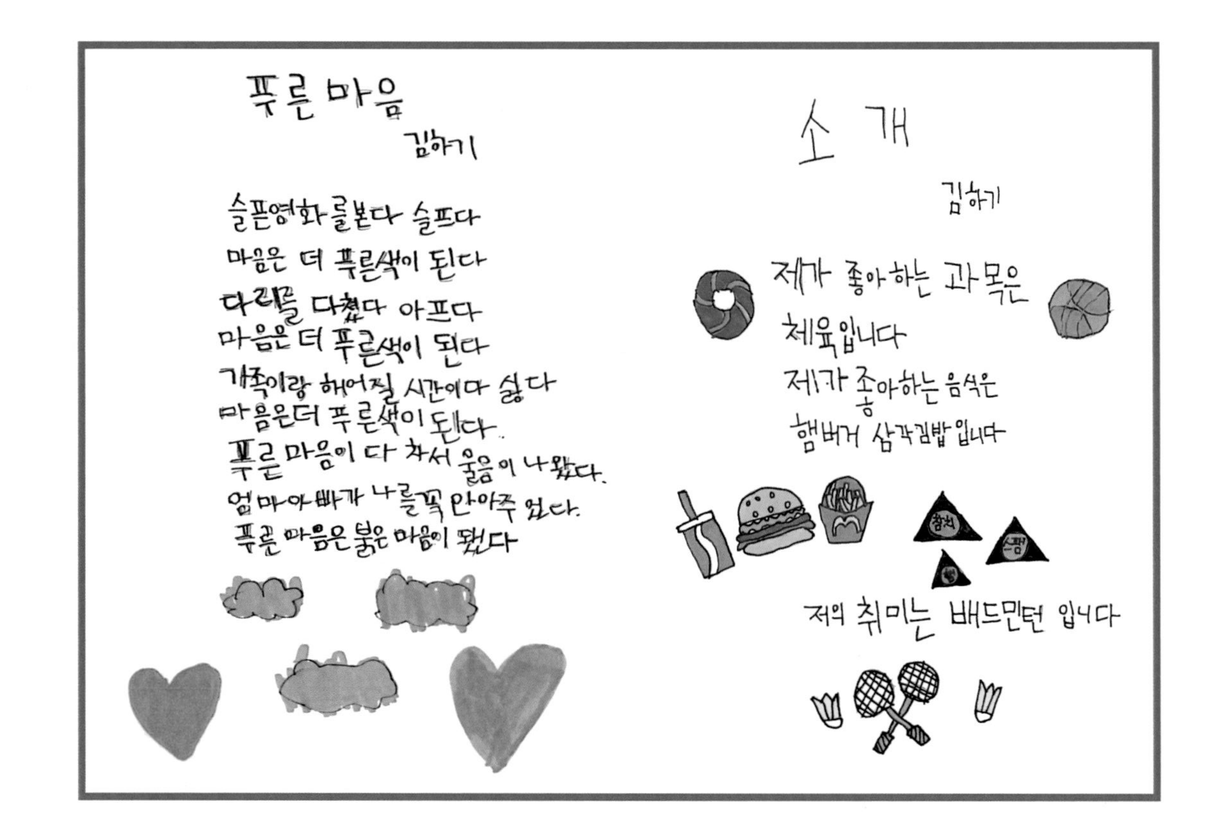
푸른 마음
김하기
슬픈영화를본다 슬프다
마음은 더 푸른색이 된다
다리를 다쳤다 아프다
마음은 더 푸른색이 된다
가족이랑 해어질 시간이다 싫다
마음은더 푸른색이 된다
푸른 마음이 다 차서 울음이 나왔다.
엄마아빠가 나를꼭 안아주었다.
푸른 마음은 붉은 마음이 됐다
소 개
김하기
제가 좋아하는 과목은
체육입니다
제가 좋아하는 음식은
햄버거 삼각김밥 입니다
참치
스팸
저의 취미는 배드민턴 입니다

구마

류혜진

안녕 구마
나는 류혜진이구마
나는 12살 이구마

류혜진은 류혜진
류혜진

류혜진은 류혜진
공부를 싫어해도 류혜진
과자를 좋아해도 류혜진
류혜진은 류혜진

소개

류혜진

방학 때 놀았다
좋아하는 음식은 과자이다.
취미는 놀기이다

장애물 달리기

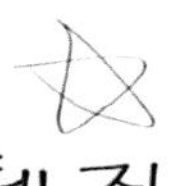

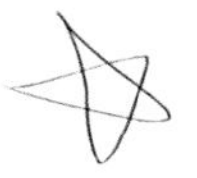

류혜진

장애물달리기를 했다
힘들었다.

공개수업

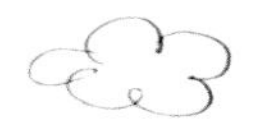

류혜진

공개수업을 했다.
불량한 자전거 여행을
읽었다.

설레임

류혜진

설레임을 받았다.
맛있었다.

동 아 리

류 혜진

동 아 리 를 했 다
합 창 을 했 다
누 가 죄 인 인 가 하 고
버 터 플 라 이 를 했 다

체 육

11번

체 육 을 했 다.
공 놀 이 를 했 다
재 미 있 었 다

슬우는 슬우

문슬우

봄을 좋아해도 슬우

비오는 걸 좋아해도 슬우
고양이를 좋아해도 슬우
슬민이를 좋아해도 슬우
밥 먹는 걸 좋아해도 슬우
슬우는 슬우

슬우를 좋아해도 난 하늬

《늦잠 잔날》

문슬우

일어났다.
하늘은 어둡다.
또 눈이 감겼다.
일어났다.
8시 10분이였다.
헉! 뭐지? 분명 20분만
잘려고 했는데!
오늘도 하늘은
내 말을 들어주지
않는다.

8:10

불쌍한 몽실이

달수

몽실이는 왜 이렇게
불쌍할까?
엄마를 잃어서?
동생을 키우기 벅차서?
아니. 앞으로 갈 길이
막막해서.

《마음 색깔》

문슬우

빨간 마음을 읽고
문득 생각이 들었다.
빨간 마음은 화남이면
노란 마음은 기쁨인가?
노란 마음은 기쁨이면
파랑 마음은 슬픔인가?
마음에도 색깔이 있네!
그럼 무지개 마음은 뭐지?

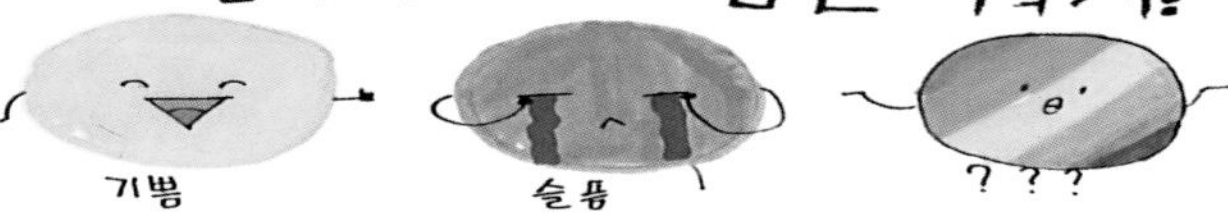

빨간 마음

박건우

빨간 마음 책을 보았다.
내 주변에도 나에게 화가 쌓이는 사람이
있을까?

있으면 어떨까
그 친구가 화를 내면 사이는 어떨까
그런 친구가 있을까봐 떨리기도 한다
내가 그런 마음을 가지고 있으면 어떨까
내가 화를 내면 친구가 어떨까
나는 오해를 한게 될수도 있다

우리반 뮤지컬

박건우

동아리 발표회를 했다
우리 반은 뮤지컬과 노래를 했다
그 중 뮤지컬이 기억에 남았다
누가 죄인인가 뮤지컬을 했다
안중근의 사형을 선고 받은 내용이다
안중근은 한승우와 이서윤이 맡았고 뒷면할 사람을 정해했다

나는 관객 역할을 하며 노래했다
승우는 마이크와 거리가 멀어 소리가 작았다
이서윤도 거리가 멀어 안 들려 아쉬웠다
동아리 발표회가 끝나고 6교시까지 하고 하교했다
태권도를 가니 6반 여자 애가 들었다고 했다
예전의 나는 창피했을 거다
이젠 나는 당당했다

누가 죄인인가

노래 부른 것은 인정했다.

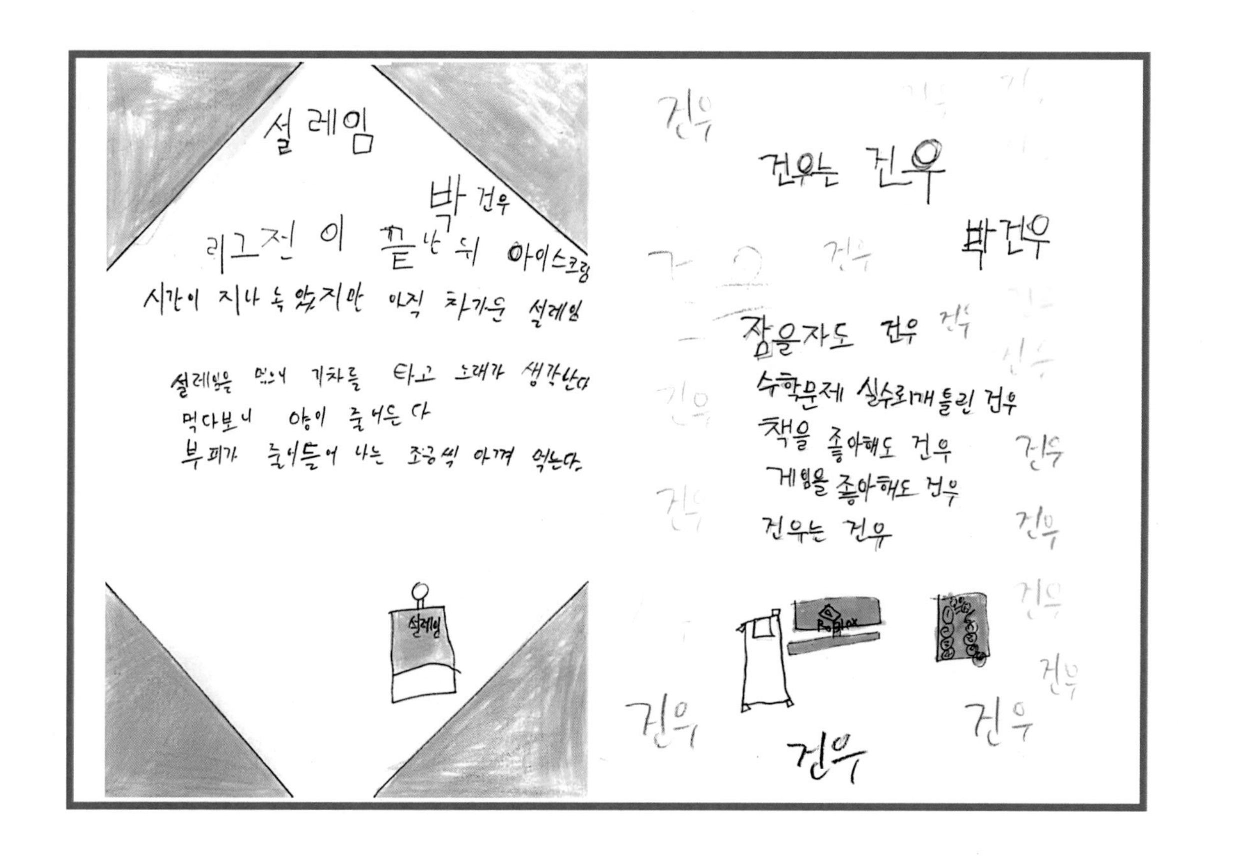
설레임
박건우
리그전이 끝난 뒤 아이스크림
시간이 지나 녹았지만 아직 차가운 설레임
설레임을 먹으니 기차를 타고 노래가 생각난다
먹다보니 양이 줄어든다
부피가 줄어들어 나는 조금씩 아껴 먹는다.
설레임
건우는 건우
박건우
잠을자도 건우
수학문제 실수로 1개 틀린 건우
책을 좋아해도 건우
게임을 좋아해도 건우
건우는 건우
건우

엄마! 나는 왜
건강하게 낳아줬어?

신민서

학교에서 학예회를 한다. 그치만
나는 못 하고 병원으로
걸어 간다
느릿 느릿 걸어가
병원에서
독감 검사를 한다.
떨리는 다리로 결과를
기다린다.
결과는 음성! 나는 엄마한테...,
"나는 왜
건강하게 낳아줬어?"

티볼

신민서

이리 저리 날아오는공

언제보면 내 앞에 있는공
보다 보면 내 뒤에 있는공
놀다보면 내옆에 있는공

공은 언제든지
이사를 한다!

다가오는 우산

신민서

학원에서 무슨소리 가들린다.
톡-톡톡。
점점많이 오는 소리가 들린다.
밖을보니 비가
톡-톡톡。
내 생각은
'아....우산 안들고 왔는데...
이제 진짜 예비용으로
우산 들고 와야겠다...'

구마!

안녕 구마!

글쓴이: 신민서
그린이: 김시윤

나는 백작 2에 신민서이구마!
나는 밖순이였다가 집순이였다가
밖순이가 된 민서구마!

내가 좋아하는 말은
"민서야 놀자!"
이구마!

난 친구들이랑 밖에서 너무
잘놀아서 엄마 아빠가
걱정 하는구마!

빨간마음
심다연
친구와 싸우고 나면
빨간마음
밀린 숙제를 하면
빨간마음
방이 더러운걸 보면
빨간마음
여러가지 이유로 빨간마음이 나타난다.
다음엔 어떤 이유로 빨간마음이 생길까?
빨간마음
빨간 마음!
가 을
심다연
가을의 계절이 찾아왔다.
그런데 날짜만 가을인지..
내가 본격적으로 가을을 느낄려고 할때
순——삭
가을이 사라져 버렸다.
언제쯤 가을을 마주할지

장애물 달리기

심다연

오늘은 리그전에서
새로운 걸 했다. 5학년 반 다 함께
모여 달리기를 하는것 이였다.
여자먼저 키순으로 달렸다.
뛰기전에는 친한친구 였지만
다 자기차례가 오니 표정이 싹 바뀌며..
몸을 풀었다.

다 달리고 나서 우는친구. 웃는친구. 무표정 친구
뛰고나니 다들 표정이 제각각 이였다.
들어오고 나서 보니 난 1등이였다♪~

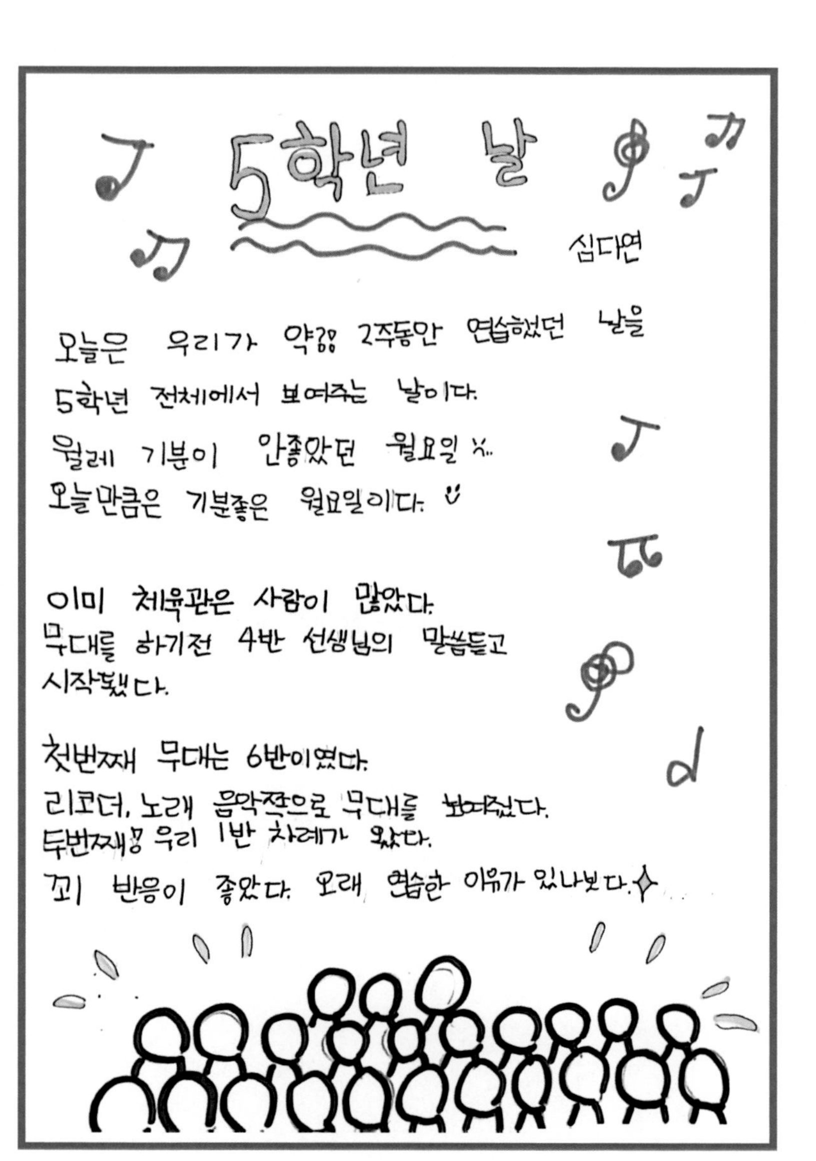

5학년 날

심다연

오늘은 우리가 약 2주동안 연습했던 날을
5학년 전체에서 보여주는 날이다.
월레 기분이 안좋았던 월요일 ㅠ..
오늘만큼은 기분좋은 월요일이다.

이미 체육관은 사람이 많았다.
무대를 하기전 4반 선생님의 말씀듣고
시작됐다.

첫번째 무대는 6반이였다.
리코더, 노래 음악적으로 무대를 보여줬다.
두번째! 우리 1반 차례가 왔다.
꾀 반응이 좋았다. 오래 연습한 이유가 있나보다.

양 지우

학교

학교는재미가없다 피곤
하고우울 해진다 3교시
까지 피곤 해지는데 5교시
쉬는시간이 되면 갑자기
신이 난다 6교시는 잠이
온다 매일매일 반복
된다

리고

양지우

리그를 맞췄다
내가 제일 좋아하는 피구
이제 끝난 거다
그래도 추억이 하나 생겼다

양지우는 양지우

양지우

함스터를 좋아해도 양지우
공부가 실어해도 양지우
잔생 파도 양지우
게임을 좋아해도 양지우

공개 수업 양지우

공개수업날이 왔다
조금은 떨렸지만
신나고 즐거웠다
발표도 했다
하지만 우리 엄마는 안 왔다
엄마가 안 와서 조금 슬펐다
공개수업이 끝났다

<장애물 달리기>

이서윤

오늘은 단체 경기날!

벌써 내 차례

준비 땅! '땅!' 소리와

함께 아이들은 달리고

달리지 않는 아이들은

응원한다. 다 뛰고 나니

'헉헉…' 숨이 턱끝까지

차오른다.

1 2 3

빨간 마음

이서윤

빨간 마음

<빨간 마음> 읽기

첫 번째 드는 생각

'어떻게 친구가

그럴 수 있지?'

두 번째 드는 생각

'그렇다고 그렇게

화낼 일은 아닌데.'

세 번째 드는 생각

'하긴 나도 그런 적이

있으니까.'

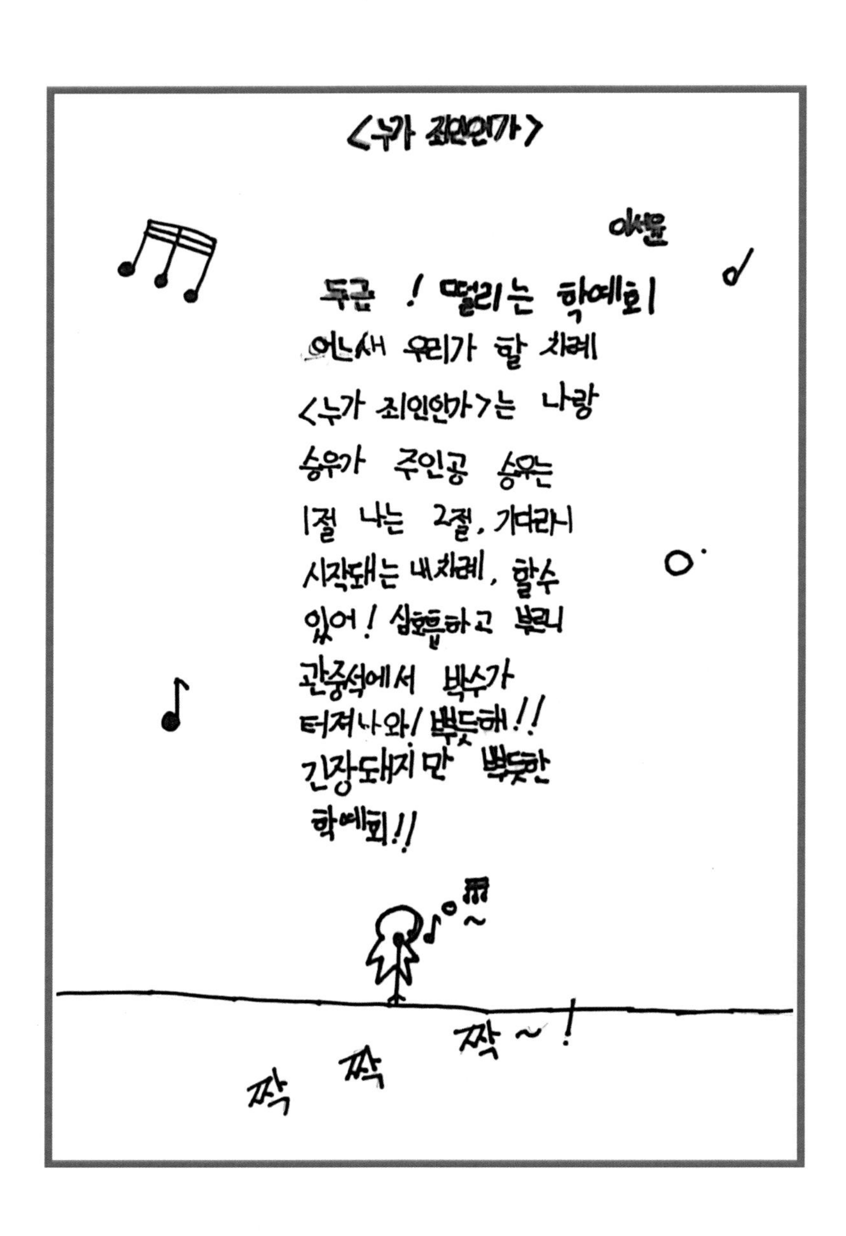
<누가 죄인인가>
이서윤
두근 ! 떨리는 학예회
어느새 우리가 할 차례
<누가 죄인인가>는 나랑
승우가 주인공 승우는
1절 나는 2절, 기다리니
시작되는 내 차례, 할수
있어! 심호흡하고 부르니
관중석에서 박수가
터져나와! 뿌듯해!!
긴장되지만 뿌듯한
학예회!!
짝 짝 짝~!

공개수업
이서윤
열심히 청소를 하고 나니
떨리는 공개수업이 시작된다.
나도 긴장
선생님도 긴장
우리 잘할수 있겠지?
긴장돼.....
수업시작!
smile~

노란 마음

글쓴이: 이장빈

치킨임 ↑

오늘은 월요일이다.
정상이면 내가 싫
어할 날이다.

하지만 오늘은 치
킨을 먹을수 있어 해
피하다.

오늘은 설내고 기대가
된다.

옛날 → 월요일 싫어

오늘 → 해피

소개 (시)

이창민

책

나의 취미는 게임, 책
이야.

나는 음식중에서 파스타를
좋아 해.

파스타 같지 않은 파스타.

이번 방학에서 나는
무었을 했냐면 여행
을 많이 갔어.

화이팅

내가 좋아 하는 언어는
"화이팅" 이야.

그리고 내가 좋아 하는 과목은
과학이야.

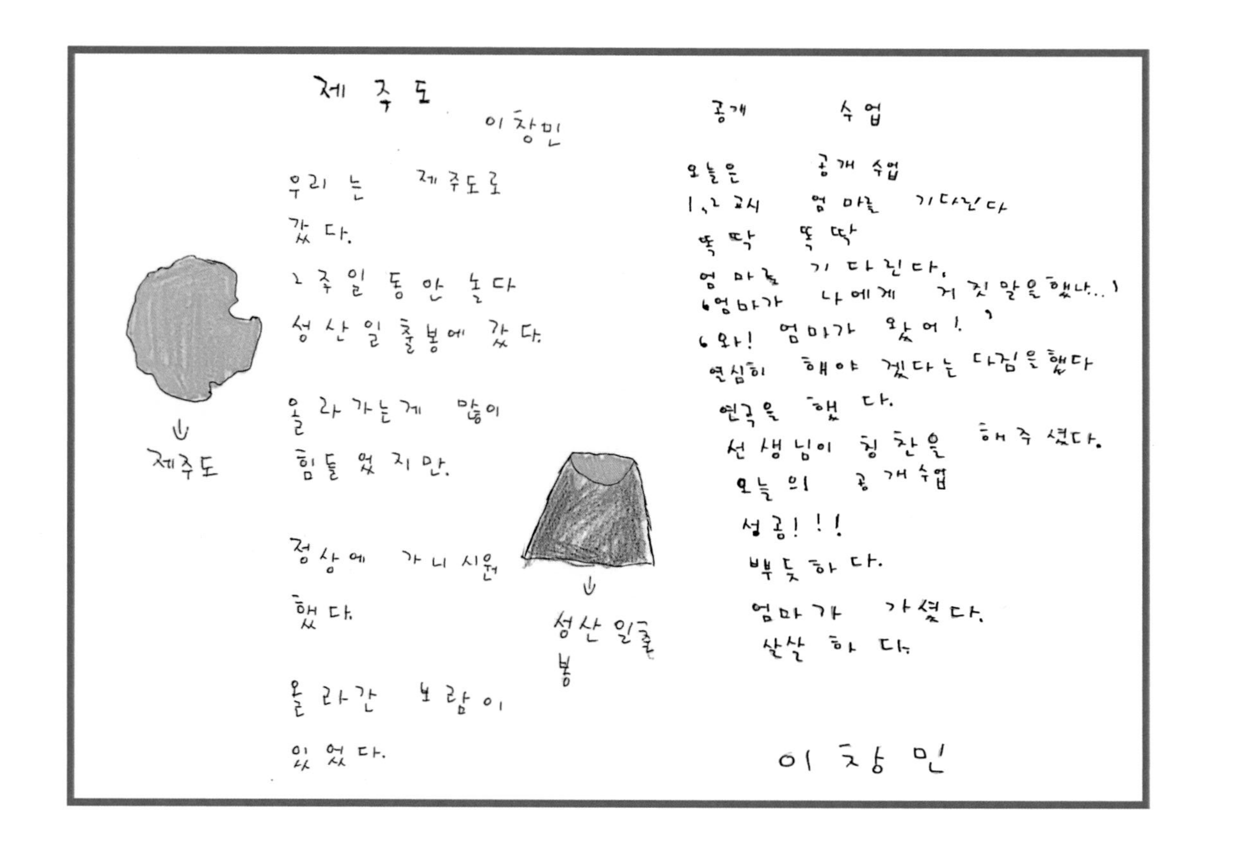
제주도
이창민
우리는 제주도로
갔다.
2주일 동안 놀다
성산 일출봉에 갔다.
올라가는게 많이
힘들었지만.
정상에 가니 시원
했다.
올라간 보람이
있었다.
제주도
성산 일출봉
공개 수업
오늘은 공개 수업
1,2교시 엄마를 기다린다
똑딱 똑딱
엄마를 기다린다.
'엄마가 나에게 거짓말을 했나...!
'와! 엄마가 왔어!'
열심히 해야 겠다는 다짐을 했다
연극을 했다.
선생님이 칭찬을 해주셨다.
오늘의 공개수업
성공!!!
뿌듯하다.
엄마가 가셨다.
삼삼 하다.
이창민

제3화 함께 해봅시다!

5학년 발표회

띵동 띵동

이현우

5학년 발표회가 시작되는 종이울리면
친구들은 우르르르 나간다
발표회 장소를 오면 친구들이
짜라란 하면서 앉아있다
다른 반도 있고 아는 친구도
짜라란!
모르는 친구들도
짜라란!
발표를 하면 박수소리가
짝짝짝~

<장애물 달리기>

이현우

장애물을 피해
달리는 장애물 달리기
앞 구르기와 장애물을
뛰어 넘기! 와 훌라후프까지!
1등.... 2등이 나오자
"빨리 뛰어!!" "힘내!"

태권도

"이현우"

태권도는 품세 발차기
등등을 한다 흰띠
노랑띠 초록띠 등등도 있다
태권도는 대단한다

〈안녕 친구야〉

이현우

안녕 나는 이현우야
나는 방학때 누리교실을 했어
내가 좋아하는 과목은 국어야
5-1이된걸 축하해

노래

임서연

아이들이 한두명씩
모이기 시작하고
공연이 시작된다.
음이 높은 노래
음이 낮은 노래
아이들이 하고 우리 차례가 왔다.
우리는 높고 낮은 노래
음이 다양한 노래

어리석은
세상은 너를
몰라……

우와

헉! 찢어졌다!

임나연

책이 찢어 졌다.

아이비리 종이가 찢어졌다

교과서 가 찢어졌다.

내가만든그림이 찢어 졌다.

쇼파가 찢어졌 다

너도하늘말라리야 가 찢어 졌다.

내가 보는것 마다 찢어져있다.

그리고 내마음도 찢어졌다.

내 친구 덕분에 회복 됬다.

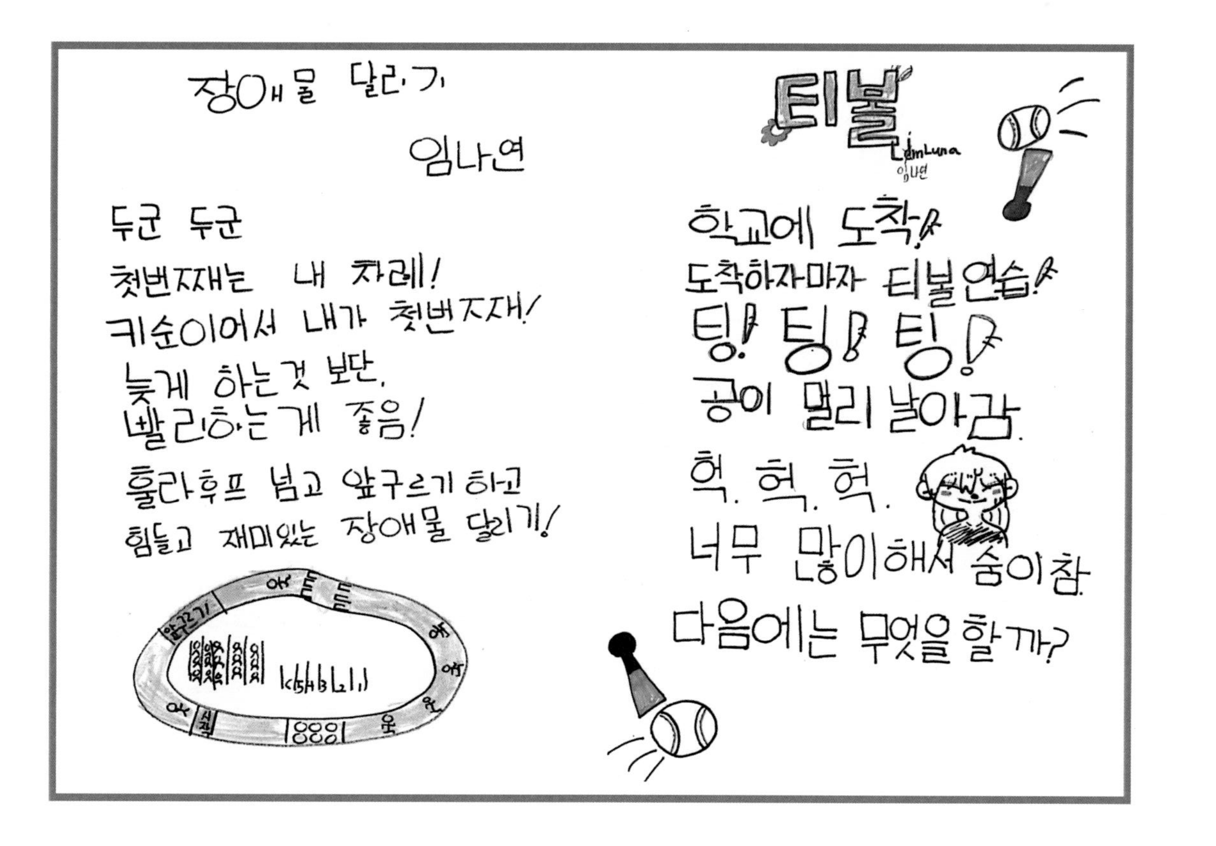
장애물 달리기
임나연
두근 두근
첫번째는 내 차례!
키순이어서 내가 첫번째!
늦게 하는것 보단,
빨리하는게 좋음!
훌라후프 넘고 앞구르기 하고
힘들고 재미있는 장애물 달리기!
티볼
LimLuna
임나연
학교에 도착!
도착하자마자 티볼연습!
팅! 팅! 팅!
공이 멀리 날아감.
헉. 헉. 헉.
너무 많이해서 숨이참.
다음에는 무엇을 할까?

동아리

정우주

오늘 다른반 아이들 앞에서
누가 죄인인가를
했다

하면서 느낀점은
뮤지컬 배우가 힘들다 라는걸
알았다.

소개

글쓴이 정우주

나의 이름은 정우주

취미는 공부하기, 책 읽기

듣고싶은 말은 우주천재

고 방학때는 게임을 하고 놀았다

정우주

정우주는 정우주

게임을 좋아해도 정우주
밥 먹는걸 좋아해도 정우주
과자를 좋아해도 정우주
축구를 좋아해도 정우주

정우주는……

정우주

밥

정유수

밥은 언제 먹어도
맛있다.

개교기념일

조시준

오늘 학교의 생일이여서

학교를 쉬어서 좋다.

시

오늘은 시 쓰는날

시를쓴다

귀찮다

고구마자기소개

최시준

안녕하구마
이제부터 내소개를 하겠구마
내이름은 최시준이구 마
나이는 12살이구 마
특징은 남들을 웃기게하는것이
특징 이구 마
좋아하는 음식은 고구마이구마
내가잘 하는것은 운동이구 마
그리고 내가 좋아하는것은 게임이구마
나는커서 게임을잘하고 멋있는 사람이
꼭 될거구마 이제자기소개는
끝이구마 반가웠구마

하늘 말나리야

최시준

오늘 하늘 말나리야
라는 책이 찢어질걸
선생님이 보고 범인을 찾고있었다
나도누구 인지궁금했다 이 범인은
얼마나 마음이조마조마할까?

선생님

최세준

오늘 선생님이
5교시에 갔다.
설민석 아저씨를
엄청 봤다.
많이 봐서 설민석 아저씨의
대사를 외울 정도였다

차

한승우

저번에 전라남도 보성군을 갔다.
그곳에서 한국차 박물관이있었는데

블렌딩 체험이있어하였다. 차를 정하고 만들기만
하면된다. 우리가족은 열심히 만들어 집으로
가져왔다

그리고 먹어봤는데... 우웩! 맛없어
맛이 굉장히 없었다. 그래서 나는 박카스
맛 젤리를먹었다. 그러더니 홍차의 쓴맛이 사라졌다
처음 먹는것 도전하면 안되나보다

개교기념일

한솔 ㉓

PC방에 가니 사람이많이없다
왜이렇게 사람이 없지?
개교기념일인데?

놀이터로갔다. 사람이 또없다.
왜 사람이 없을까?
개교기념일인데?

그때 깨달았다.
아하! 우리만 개교기념일이구나!

내가 한말에 모두가 하하 웃는다

고구마

한승우

안녕! 반갑구마
내이름은 한 승우구마
내취미는 티볼구마
그리고난 오늘 야구보러잔다구마
그래서난 기뻐구 마

끝이구마

빠바밤! 뮤지컬

23 한승우

오늘하는 학예회
첫번째는 '누가 죄인인지'
중독성 있는 넘버 '빠바밤!'
7시에 일어나시라고 하셨지만
8시에 '벌떡' 그래서 잘 안나오는
나의 목소리 그래도 성공적이다

짝!

고구마
구마
"고구마구마"를
선생님이
이 가지고온
고구마 구마를
읽어 주었다
구마. 그 책엔
기억나는건 탓구마,
작구마, 크구마,
등이 기억나구마!

설레임
한정훈 24
리그전을 할때 설렌다
좋아하는 사람이 있으면 설렌다
이겨도 설렌다 져도 설렌다
매일 매일 내일이 설렌다
설레임

빨간 마음

한정훈

오늘 선생님이 빨간 마음
이란 책을 읽어주셨다.
이 책의 내용은 안경쓴
여자에 하고 양갈래 애
하고 특이하게 안경쓴 애하고
싸우고화 해를 한다. 다음
에도 싸울 것같다.

정훈이는 정훈이

한정훈

공부할때도 정훈이
게임할때도 정훈이
잠잘때도 정훈이
축구할때도 정훈이
나는 정훈이

지워지지 않는 마음

황유진

친구와 다투었다.
내 마음은 화나있다.
친구와 화해했다.
내 마음은 아직 화나있다.
친구와 함께 등교했다.
내 마음은 웃고 있다.

수행 평가

25

다가오는 수행 평가 시간
점수 잘 받고 싶은
내 마음

"수행평가 시작하세요"
열심히 하니
시간 다 되고

선생님께 보여드리니

"오 잘했네~"
내 얼굴에는
미소 가득

내 멋대로 슈크림

황유진

첫번째 빵 단팥슈빵이 되고

두번째 빵 김치슈빵이 되고

세 번째 빵 콩자반슈빵이 되고

네 번째 빵 좋아하는 것 찾고

다섯 번째 빵 와사비 슈빵 되고

모두 모두 내 멋대로 빵이 되었다.

나도

내 '멋대로'가 되고 싶다.

베이킹

황유진

떨리는 베이킹

밀가루 계량하는데
후두둑 흘리고

물 넣는데 또 흘리고

굽고 먹어보니
바사삭 대 성공!

버터플라이

황유진

떨리는 첫 공연
'버터 플라이'

내 바로 앞에 있는 마이크

긴장은 불어났고

내려오니 드는 생각
'조금만 더 크게할껄'

작은 **미술관**

글콩!
빛나는
5-1

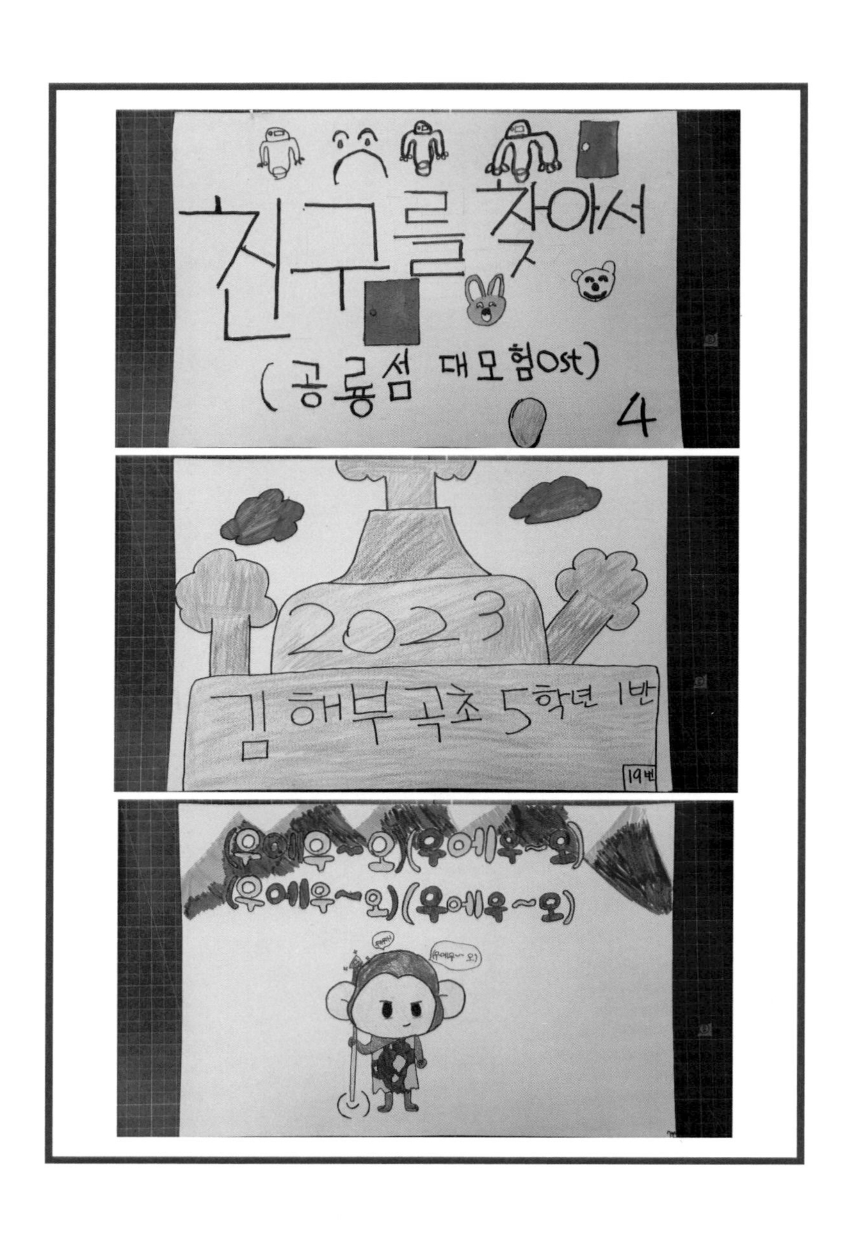

친구를 찾아서
(공룡섬 대모험 Ost)
4
2023
김해부곡초 5학년 1반
19번
(우에우~오)(우에우~오)
(우에우~오)(우에우~오)

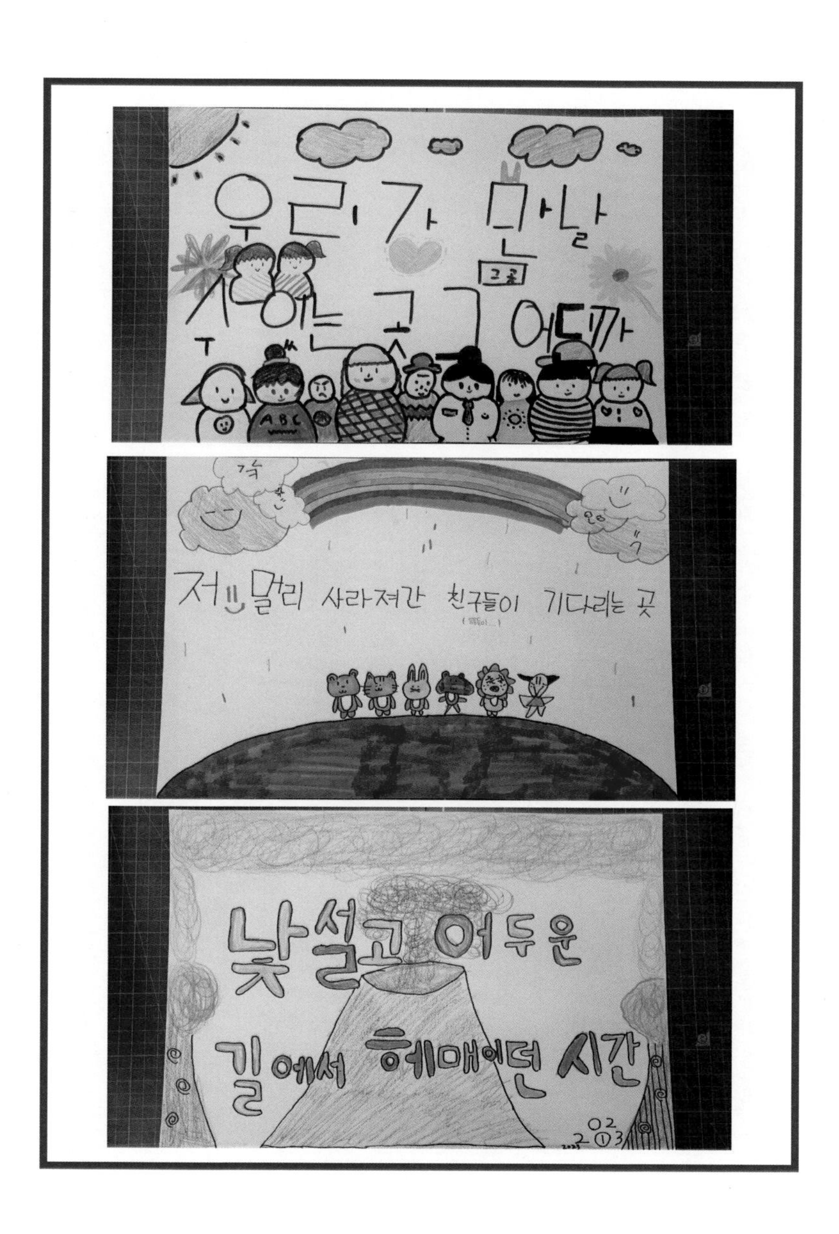

우리가 만날 수 있는 곳 그
저 멀리 사라져간 친구들이 기다리는 곳
낯설고 어두운 길에서 헤매이던 시간

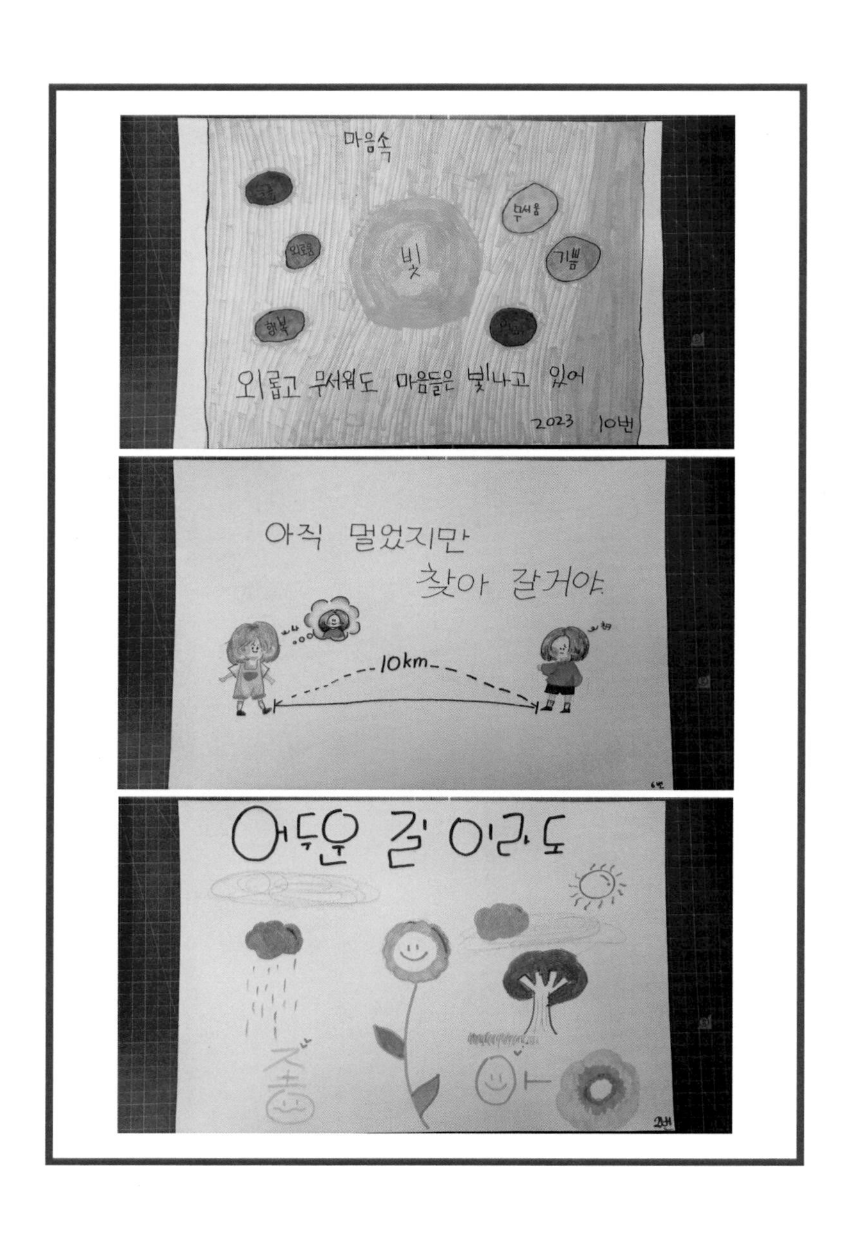
마음속
무서움
외로움
빛
기쁨
행복
외롭고 무서워도 마음들은 빛나고 있어
2023 10번
아직 멀었지만
찾아 갈거야.
10km
어두운 길 이라도

어디지?
우릴 기다리는 친구들 찾아서
날아갈거야 (빠라랍)
3번
힘들고 지쳐도 (빠라랍)
17번

다 함께 외쳐봐 (빠라랍)
25
바라는 만큼 이루어질거야 (빠라랍)
11번
신비한 세상 속 빠라랍)
16

친구들
찾아서(빠라랍)
크롱
뽀로로
22번
영원히 노래 부를거야 이렇게
함께
(우에우~오~)(우에우~오~)(우에우~오)(우에우~오) (빠바라랍)

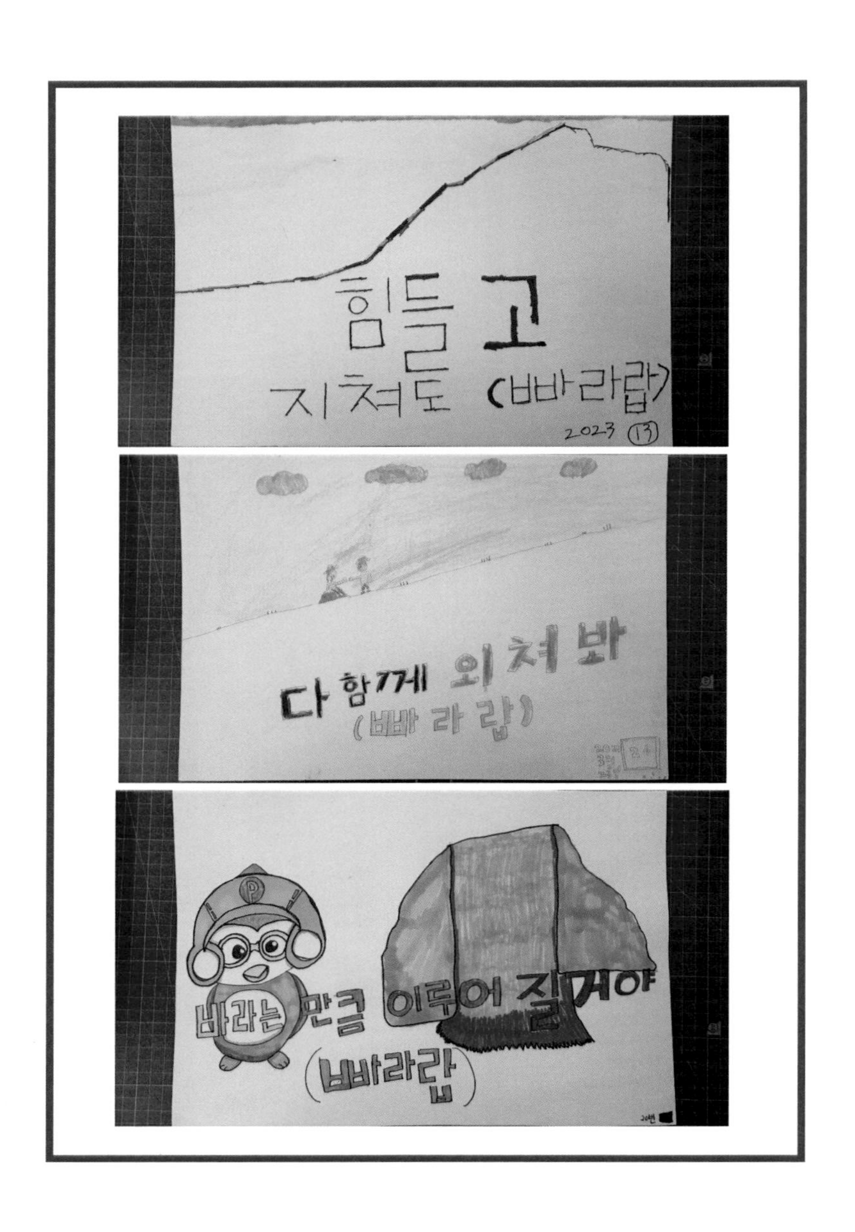

힘들고
지쳐도 (빠라랍)
2023 (13)
다 함께 외쳐 봐
(빠 라 랍)
바라는 만큼 이루어 질거야
(빠라랍)

신비한 세상속
(ㅂ바 라랍)
21번
친구들
안녕ㅠㅠ
안돼ㅠㅠ
그게 내가
친구들을 찾는거야!!!!
찾아서
(ㅂ바 라랍)
영원히 함께 노래 부를거야
이렇게
12

우예우~오~
23
"선생님, 오늘 한 글쓰기로 일기 써도 돼요?
동화책 한 권을 읽고 제목, 문장, 상황 설명, 내 생각이나 느낌을 쓰는 것
내 기분은 내가 정한다.
HAPPY~
-백란현
백자판기
(명언)
코인 넣는 곳
백란현
일반 명언
구매
보통 명언
구매
고급 명언
품절
나오는 곳
꼴등이 있어야 일등도 있다!

( )

2023 년 12 월 12 일 화요일 날씨

오늘은 12·12 사태다. 그래서 그런지 쉼민석 사회영
상을 틀어주셨다. 그리고 5교시 도서관을 가서
이번엔 책을 그냥 골라 적는게 아니라
시를 선택해서 한쪽엔 그 시를 베껴 적
고 또 다른 한쪽에는 그 시를 참고만 하고
내 경험을 시로 적어 보는 시간이였다.
책 한권을 골라, 중심문장 찾고 내경험
쓰는 이런거는 많이 해보았지만 시를
내 경험으로는 처음 해보았다. 그래서
그런지 책을 고르는데 시간이 좀 걸렸다.
참고로 베껴 적는데도 꼼꼼히 적는다고
시간이 오래 걸렸다. 다행이 정해진
시간 안에 완성하였다. 다행이다!
새로운 경험!

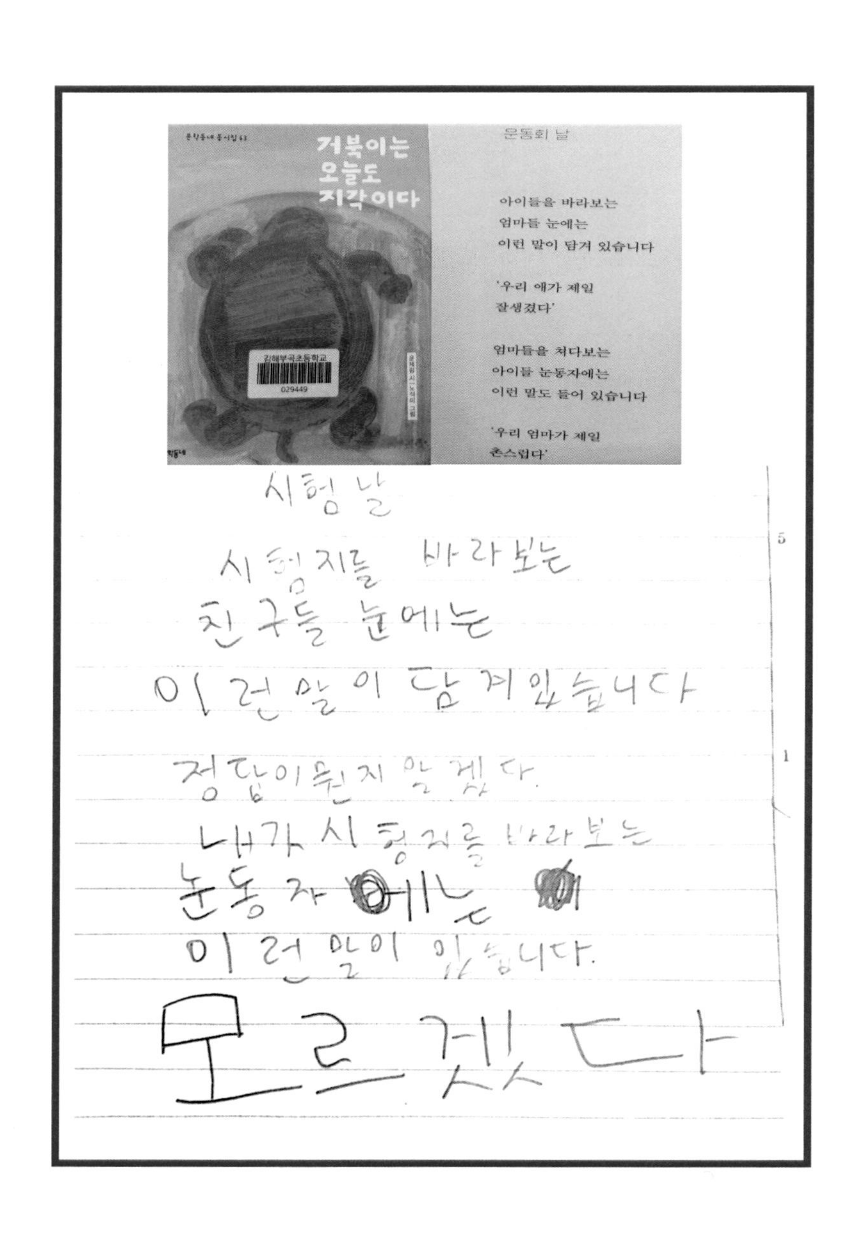

운동회 날

아이들을 바라보는
엄마들 눈에는
이런 말이 담겨 있습니다

'우리 애가 제일
잘생겼다'

엄마들을 쳐다보는
아이들 눈동자에는
이런 말도 들어 있습니다

'우리 엄마가 제일
촌스럽다'

시험 날

시험지를 바라보는
친구들 눈에는
이런 말이 담겨있습니다

정답이 뭔지 알겠다.
내가 시험지를 바라보는
눈동자에는
이런 말이 있습니다.

모르겠다

<넌 어떤 지구에 사니>

(블루베리 아껴먹는 방법)
블루베리 씻어오다
소쿠리째 쏟아버렸네
동글동글 눈동자가
모두 흩어지고
몇놈은 이때다! 하고
벌써 도망가버렸다.

일부러 그런건 아닌데
난 며칠째 블루베리를 먹고있어
책상 밑에서 째려보던 눈알을
방금 주워 먹었는걸.

일부러 그런건 아닌데
아껴 먹으려면 이 방법이 최고군

(떡볶이 기부하는 방법)
즉석 떡볶이 전자레인지에서 꺼내오다
통 그대로 바닥에 엎어버렸네
맛있게 먹으려고 넣어놓은
치즈, 소세지 모두 흩어지고
몇개는 나 먹으라는듯
정갈하게 떨어졌다

일부러 그런게 아닌데
난 몇시간째 엄마한테 혼나고 있어
식탁 밑에서 나를 비웃듯 쳐다보던
떡볶이를 물티슈에게
기부했거든

일부러 그런게 아닌데
떡볶이를 기부하려면 이 방법이 최고군

2023년 12월 7일 목요일

<모드락숲의 선물>

'나무아래로 무언가 떨어지는 소리가 들렸어요. 빛보양 솔방울, 어여쁜 작은 열매들, 알록달록 나뭇잎과 꽃들. 그리고 멋진 깃털까지… 둘러보니 주위에 작고 어여쁜 것들이 아주 많았어요.'

오늘은 친구의 생일이었습니다. 엄마는 모드락숲에는 무서운 동물들이 있으니 돌아가라고 했지만 나는 친구의 집에 빨리 가기위해서 모드락숲을 지나가기로 했습니다. 하지만 무서운 동물들이 선물을 모두 가져가버렸습니다. 그래도 바구니는 비지 않았습니다. 깃털, 꽃, 나뭇잎과 솔방울들로 바구니는 가득 차있었습니다. 다시 둘러보니 주위에는 유리구슬보다 작고 어여쁜것들이 아주 많았습니다.

저는 예전에 마트에 심부름을 하러간적이 있는데 그날은 심부름을 하고 제가먹을 과자도 사오라는 말을들었습니다. 마트에서 장을 보는데 사야할게 꽤 많았습니다. 그바람에 제가 먹을 과자를 사지않고 그냥 집으로 와버렸습니다. 하지만 엄마는 과자도 안사고 달려온거냐며 칭찬을 해주었습니다. 그래서 과자를 먹는 것보다 더 행복했었는데, 모드락 숲이 준 선물은 유리구슬보다 값진 것 같습니다.

<마치는 글>

5학년 1반 26명 학생들과 두 번째 책을 완성하였습니다.

소감을 적어준 건우, 현우, 정훈이의 마음이 우리 반 전체 학생의 마음과 같다고 생각합니다.

저와 함께한 5학년 1반에서의 작가 생활은 마무리되겠지만 학생들이 평생 읽고 쓰는 삶 이어가길 소망합니다.

백란현 작가

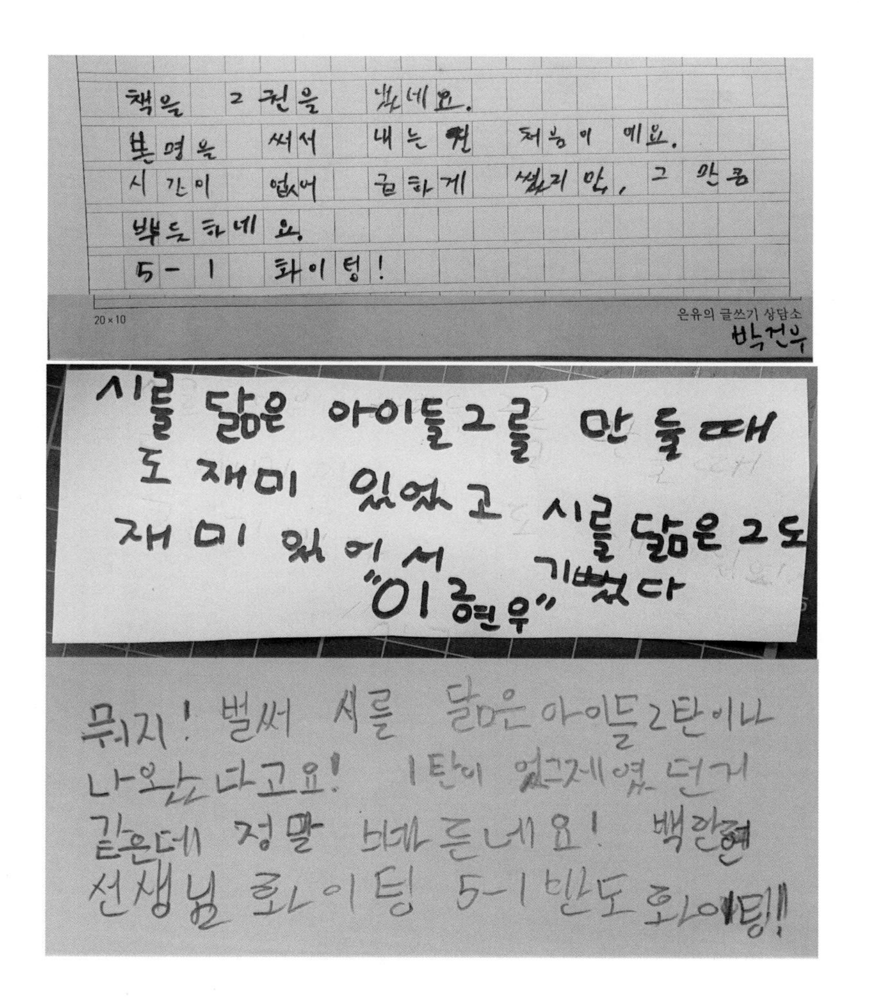
책을 2권을 냈네요.
본명을 써서 내는 건 처음이에요.
시간이 없어 급하게 썼지만, 그 만큼 뿌듯하네요.
5-1 화이팅!

20×10
은유의 글쓰기 상담소
박건우

시를 닮은 아이들 1을 만들 때도 재미있었고 시를 닮은 2도 재미있어서 기뻤다
"이현우"

뭐지! 벌써 시를 닮은 아이들 2탄이나 나왔다고요! 1탄이 엊그제였던거 같은데 정말 빠르네요! 백란현 선생님 화이팅 5-1반도 화이팅!!

표지 디자인
서연, 은재

값 8,500원
03810
ISBN 979-11-410-6049-7

나는 화재조사관이다.

화재조사관의 낙서장(III)

이종인 지음